Lidia Parodi
Marina Vallacco

Du lait au fiel

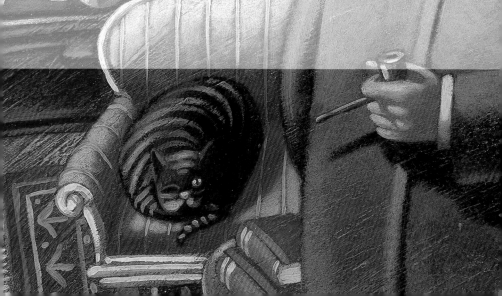

Rédaction : Domitille Hatuel, Cristina Spano
Conception graphique : Nadia Maestri
Mise en page : Sara Blasigh
Illustrations : Gianni De Conno
Recherches iconographiques : Sara Blasigh

Crédits photographiques : Archives Cideb : pages 10, 11, 20, 30, 31, 32, 38, 46, 49, 57, 63, 73, 74, 75, 82, 84, 91, 92, 93, 95 ; Deadline Photo Press : page 64 ; CRT Ile-de-France : page 83.

© 2005 Cideb Editrice, Gênes

Vous trouverez sur les sites www.cideb.it et www.blackcat-cideb.com (espace étudiants et enseignants) les liens et adresses Internet utiles pour compléter les dossiers et les projets abordés dans le livre.

Pour toute suggestion ou information la rédaction peut être contactée à l'adresse suivante :

www.cideb.it

CISQ CERT

TEXTBOOKS AND
TEACHING MATERIALS
The quality of the publisher's
design, production and sales processes has
been certified to the standard of
UNI EN ISO 9001

ISBN 978-88-530-0142-9 livre + CD

Imprimé en Italie par Litoprint, Gênes

Sommaire

Le texte est intégralement enregistré.

 Ce symbole indique les exercices d'écoute et le numéro de la piste.

DELF   Les exercices qui présentent cette mention préparent aux compétences requises pour l'examen.

CHAPITRE 1

Une coïncidence
bien étrange

a pluie fine de septembre tombe sur Paris. Ce matin, dans les bureaux du commissariat du XVIIᵉ arrondissement, le commissaire Sorel doit affronter un cas un peu spécial : devant lui, se trouve Madame Morin, la belle-mère de Jean Serreau, le député à l'Assemblée Nationale. Le commissaire Sorel, patient et courtois comme à son habitude, la prie de s'asseoir, sans imaginer que cette visite va marquer le début d'une affaire surprenante. Madame Morin est une vieille dame un peu excentrique qui lui annonce d'un ton à la fois triste et décidé :

— Quelqu'un a empoisonné mon chat ! J'en suis sûre. Il y a quelqu'un qui utilise trop facilement du poison dans mon quartier ! Il faut que vous fassiez une enquête ! Monsieur le commissaire, vous êtes le seul qui puisse résoudre ce cas !

Du lait au fiel

Le commissaire Sorel n'en croit pas ses oreilles. Comment expliquer à Madame Morin que la police ne peut pas s'occuper de la mort d'un chat ? Elle semble prendre cette affaire tellement au sérieux... D'accord, il n'a pas à s'occuper de cas urgents aujourd'hui, mais enfin, il ne peut pas commencer une enquête pour la mort d'un chat !

Mais la vieille dame continue son histoire :

— Titus est sorti hier, comme tous les après-midi, faire le tour du quartier. Vous savez, j'habite dans une petite villa entourée d'un jardin. Titus est rentré à six heures et il est allé se coucher dans son coin. J'ai tout de suite compris que quelque chose n'allait pas. Un quart d'heure après, il était mort. Mort avant l'arrivée du vétérinaire. Titus mort, vous comprenez ? Lui qui était mon compagnon depuis bientôt six ans !

— Oui, je comprends, dit le commissaire Sorel de plus en plus embarrassé, mais, vous savez, Madame, la police ne s'occupe pas de chats... Et puis, votre matou [1] est peut-être mort de mort naturelle...

— Absolument pas, Monsieur le commissaire ! Le vétérinaire m'a dit tout de suite que la mort de Titus était bien étrange, car les symptômes étaient ceux d'un empoisonnement à l'arsenic. Incroyable, non ? J'ai demandé au vétérinaire de faire l'autopsie et ses soupçons ont été confirmés. Voilà pourquoi je suis ici, Monsieur le commissaire !

— Eh bien, Madame Morin, que voulez-vous qu'on fasse maintenant ? demande le commissaire d'un air désarmé. Il trouve cette dame très sympathique, mais un peu dingue [2], il a du mal à cacher son amusement mais il ne peut pas se moquer d'elle, quand même... !

1. **matou** : chat mâle entier.
2. **dingue** : (fam.) folle.

Une coïncidence bien étrange

— Chercher qui a empoisonné mon chat, bien sûr ! répond Madame Morin, bien décidée à venir à bout[1] de cette affaire.

Leur conversation est interrompue par un coup de téléphone. C'est l'inspecteur Verdun...

— Allô, patron ? On vient de découvrir le corps de la comtesse de Hautefeuille... probablement assassinée... Vous pouvez venir ?

— D'accord, répond le commissaire. Où êtes-vous ?

— 56, rue des Acacias.

— Comment la victime a-t-elle été tuée ? demande le commissaire.

— Elle a été empoisonnée.

Le commissaire raccroche, pensif, et s'adresse à la vieille dame excentrique.

— Je vous demande de m'excuser, Madame, on m'appelle, c'est urgent. Je suis désolé pour votre chat, mais nous ne nous occupons pas de cas comme le vôtre. Je vous remercie cependant de votre témoignage. Au revoir, Madame !

— Au revoir, Monsieur le commissaire ! Mais croyez-moi, ce n'est pas normal d'empoisonner un chat avec de l'arsenic... ça fait 50 ans que j'habite rue des Acacias, et c'est la première fois qu'un tel épisode se produit !

— Vous avez dit : rue des Acacias ? ! demande le commissaire frappé par la coïncidence.

— C'est ça, Monsieur le commissaire. J'habite au 48.

Sorel sort de son bureau et songe que c'est décidément bizarre, deux empoisonnements dans la même rue, celui d'un chat et celui d'une comtesse. Est-ce qu'il y a un lien[2] entre les deux ?

---

1. **venir à bout** : conclure, achever.
2. **lien** : relation.

Compréhension **orale**

DELF **1** Écoutez attentivement l'enregistrement du chapitre et cochez les bonnes réponses.

1. L'histoire se déroule
   a. ☐ sur un boulevard parisien.
   b. ☐ à Paris en hiver.
   c. ☐ à Paris au mois de septembre.

2. Une vieille dame se présente au commissariat pour
   a. ☐ déposer une plainte pour cambriolage.
   b. ☐ dénoncer l'empoisonnement de son chat.
   c. ☐ déposer une plainte pour tapage nocturne.

3. Le commissaire Sorel
   a. ☐ dit à la vieille dame qu'il s'occupera de cette affaire plus tard.
   b. ☐ trouve la vieille dame très bizarre et lui dit qu'il ne peut pas s'occuper de son histoire.
   c. ☐ est tout de suite intéressé par cette affaire.

4. Pendant que le commissaire parle avec Madame Morin, on lui annonce que la comtesse de Hautefeuille
   a. ☐ s'est suicidée.
   b. ☐ a été empoisonnée.
   c. ☐ a été assassinée.

5. Madame Morin habite
   a. ☐ rue de Strasbourg, mais pas la comtesse.
   b. ☐ comme la comtesse de Hautefeuille, rue de Strasbourg.
   c. ☐ comme la comtesse, rue des Acacias.

2 Écoutez l'enregistrement et reconstruisez fidèlement la conversation entre Madame Morin et le vétérinaire, en corrigeant où c'est nécessaire.

— Allô ! Docteur Bichet ? C'est Madame Morin ! Je vous téléphone pour

....

mon chien. Il est tout drôle. Pouvez-vous venir immédiatement ?

....

— J'arrive ! À tout à l'heure !

....

(Un quart d'heure plus tard…).
— Oh ! Docteur ! C'est affreux… ! Titus vient de courir !

....

— Ça a l'air d'un empoisonnement.

....

— C'est invraisemblable ! Il faut faire une autopsie !

....

— Bon, je vous communiquerai les résultats dès demain.

....

Grammaire

1 **Transformez ces phrases au pluriel.**

1. Je prends le métro pour aller au travail. ....
2. Il ne comprend pas ces problèmes. ....
3. Pourquoi tu ne réponds pas à ses lettres ? ....
4. Tu prends des mesures sévères ? ....
5. Je ne réponds pas à ces provocations. ....

2 **Complétez avec les verbes *prendre*, *répondre* et *comprendre*.**

1. Elle ne .... jamais à mes questions.
2. Il .... son travail très au sérieux.
3. Nous ne .... pas les raisons de votre comportement.
4. Tu .... l'allemand ?
5. Qu'est-ce que vous .... au petit-déjeuner ?
6. En ce moment, il .... une douche.
7. Vous ne .... pas au téléphone ?
8. Ils .... toujours d'un air très sec.

Enrichissez votre **vocabulaire**

1 Cochez la bonne réponse.

1. Courtois :
   a. ☐ gentil
   b. ☐ curieux
   c. ☐ indifférent

2. Raccrocher :
   a. ☐ déposer le combiné
   b. ☐ soulever le combiné
   c. ☐ bavarder

3. Songer :
   a. ☐ admettre
   b. ☐ reconnaître
   c. ☐ penser

4. Avoir du mal à :
   a. ☐ être méchant
   b. ☐ avoir des difficultés à
   c. ☐ faire des choses que l'on ne devrait pas faire.

2 Décrivez ces chats en vous aidant des mots donnés.

> roux   noir   blanc   gris   grand   petit   gros   maigre   jeune
> vieux   pâtée pour chats   viande   poisson   tigré

Taille ....
....

Couleur ....
....

Âge ....
....

Alimentation ....
....

3 À chaque définition, attribuez une plaque.

☐ **1.** Large voie plantée d'arbres ou large voie faisant le tour d'une ville sur l'emplacement des anciens remparts.

☐ **2.** Voie bordée de maisons dans une agglomération.

☐ **3.** Large voie urbaine souvent bordée d'arbres.

☐ **4.** Petite rue qui n'a pas d'issue.

☐ **5.** Petite rue interdite aux voitures, généralement couverte, qui unit deux voies importantes.

☐ **6.** Espace découvert, généralement entouré de constructions.

☐ **7.** Jardin public souvent entouré d'une grille.

☐ **8.** Voie soutenue par un mur le long d'un cours d'eau.

☐ **9.** Construction reliant les deux berges d'un fleuve.

arrondissement

a.

b.

c.

d.

e.

f.

g.

h.

i.

À la découverte **de Paris**

Paris comprend 20 arrondissements, numérotés de 1 à 20 et disposés selon la forme d'un escargot.

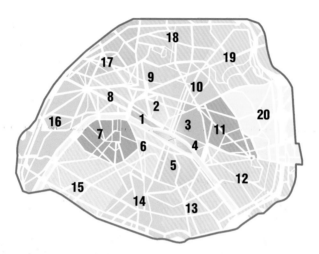

Les quartiers du centre (du 1er au 9e arrondissement) comprennent :

— les bords de la Seine, où se situent le Palais-Bourbon, siège de l'Assemblée nationale, l'Institut de France, siège de l'Académie française, l'Hôtel de Ville, siège de l'autorité municipale... On y trouve aussi des musées comme le Louvre et le Musée d'Orsay dans l'ex-gare d'Orsay... ;

— la rive gauche, « où l'on pense », qui comprend le Quartier latin et, bien sûr, la Sorbonne ;

— la rive droite « où l'on dépense », car il y a des rues marchandes (rue du Faubourg-Saint-Honoré) et des grands magasins (Galeries Lafayette, Printemps).

Les quartiers est sont les plus étendus et les plus peuplés. Les quartiers ouest sont des quartiers résidentiels, avec des immeubles et des jardins élégants.

1 Dans quel arrondissement se déroule l'histoire ?

2 De quel type de quartier s'agit-il ?

3 Examinez la carte de ce quartier de Paris et situez les monuments que vous pouvez repérer dans le tableau ci-dessous.

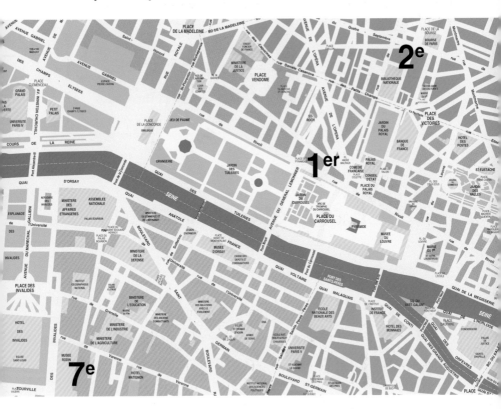

Rive gauche	Rive droite

CHAPITRE **2**

L'enquête commence

a voiture du commissaire se dirige sous la pluie vers l'adresse indiquée par l'inspecteur Verdun. Située dans un quartier élégant, la rue des Acacias est une rue où il y a de belles maisons entourées de vastes jardins.

L'inspecteur Verdun accueille le commissaire dans l'entrée et lui raconte ce qui s'est passé.

— Le comte nous a téléphoné ce matin à huit heures. À sept heures trente, Yves, le majordome, l'a averti que la comtesse ne répondait pas. Comme d'habitude, il était monté pour apporter son petit-déjeuner à la comtesse. Comme elle ne répondait pas, il a appelé son maître. Madame de Hautefeuille dormait au premier étage, dans une chambre contiguë à celle de son mari. C'est là que Monsieur de Hautefeuille et le majordome l'ont trouvée : elle tenait encore une tasse avec des traces de lait.

L'enquête commence

Le comte a alors appelé leur médecin de famille, puis nous a prévenus.

Nous avons envoyé la tasse au laboratoire...

— Pourquoi pense-t-on à une mort par empoisonnement ? demande le commissaire.

— C'est l'avis du médecin de la famille. On attend les résultats des analyses pour savoir de quel poison il s'agit, mais leur médecin affirme qu'il peut s'agir d'arsenic...

— D'arsenic ?... ça, c'est bizarre ! ajoute le commissaire, intrigué.

— Pourquoi bizarre, commissaire ?

— Oh, rien... je pensais à autre chose...

Il n'ose pas lui raconter l'histoire du chat de Madame Morin.

— La famille et les domestiques nous attendent au salon...

— Bon, allons-y tout de suite, dit le commissaire intrigué par cette affaire.

Les membres de la famille sont assis près de la cheminée. Le comte Norbert de Hautefeuille est un homme de 50 ans environ ; il a l'air bouleversé [1]. Pas rasé, il est encore en robe de chambre.

Juliette, la fille du comte et de la comtesse de Hautefeuille, est une jeune femme de 25 ans. Elle est en larmes ; son mari, Philippe du Moulin, essaie de la consoler. Le frère du comte, Bertrand, est là aussi. Il est plus jeune que son frère, d'une dizaine d'années. Il a l'air tendu et voudrait bien être ailleurs [2]. Debout, près de la fenêtre, il y a le majordome, Yves, la secrétaire de Monsieur de Hautefeuille, Mademoiselle Arnaud, et, près de la porte, la cuisinière.

— Bonjour, Mesdames, Messieurs, je suis le commissaire Sorel.

---

1. **bouleversé** : très troublé.
2. **ailleurs** : dans un autre lieu.

Du lait au fiel

Monsieur le comte, voulez-vous me raconter ce qui s'est passé ?

— Eh bien voilà, Monsieur le commissaire : Yves m'a averti que ma femme ne répondait pas. Il était environ... sept heures trente, j'ai alors... ouvert la porte et je l'ai vue allongée sur son lit. Elle tenait encore la tasse... Elle avait l'habitude de boire une tasse de lait chaud au miel avant de s'endormir...

— Qui préparait ce lait ? demande le commissaire.

— Ma femme préparait elle-même sa tasse de lait avant de monter dans sa chambre...

— Elle l'a fait hier soir aussi ? Quelqu'un l'a vue ?

— Oui, Monsieur, répond le majordome, j'étais dans la cuisine quand Madame la comtesse a préparé son lait.

— Qui d'autre, à part la comtesse, boit du lait dans la maison ?

— Plus ou moins tout le monde, mais pas régulièrement... répond le comte.

— Moi non, dit Juliette, je n'aime pas le lait et je n'en bois jamais... Et Mademoiselle Arnaud, non plus, n'en boit pas. N'est-ce pas, Mademoiselle Arnaud ?

— C'est vrai, je ne bois jamais de lait. Même pas un... soupçon [1]... dans le... thé, déclare Mademoiselle Arnaud en hésitant et en regardant le commissaire d'un air embarrassé.

— Donc, n'importe qui pouvait boire le même lait que la comtesse... sauf Madame du Moulin et Mademoiselle Arnaud...

Un agent entre dans le salon et donne au commissaire un message de la part du médecin légiste.

Après l'avoir lu, le commissaire dit en s'adressant à Verdun :

— Le médecin avait raison, le lait contenait effectivement de l'arsenic.

---

1. **soupçon** : ici, très petite quantité.

Compréhension **orale et écrite**

DELF **1** Écoutez et lisez attentivement le texte puis cochez les bonnes réponses.

1. La rue des Acacias est

   a. ☐ dans un quartier populaire.

   b. ☐ dans la banlieue ouest.

   c. ☐ dans un quartier élégant.

2. Quand le commissaire arrive dans la demeure des comtes,

   a. ☐ Monsieur de Hautefeuille

   b. ☐ l'inspecteur Verdun

   c. ☐ le médecin légiste

   ...lui explique ce qui s'est passé.

3. D'après le médecin de la famille,

   a. ☐ il s'agit d'un empoisonnement, mais on ne sait pas encore de quel poison il s'agit.

   b. ☐ il ne s'agit pas d'un empoisonnement à l'arsenic.

   c. ☐ il s'agit probablement d'un empoisonnement à l'arsenic.

4. Ce sont

   a. ☐ les domestiques

   b. ☐ le comte et sa fille

   c. ☐ le comte et le majordome

   ...qui ont trouvé la comtesse morte dans sa chambre.

5. La comtesse

   a. ☐ n'avait rien dans les mains.

   b. ☐ tenait dans sa main une tasse pleine de lait.

   c. ☐ tenait dans sa main une tasse qui avait contenu du lait.

6. Le commissaire Sorel communique à l'inspecteur Verdun que

   a. ☐ la comtesse n'a pas été empoisonnée.

   b. ☐ la comtesse a été empoisonnée avec de l'arsenic.

   c. ☐ les résultats du labo ne sont pas encore prêts.

2 Écoutez attentivement l'enregistrement et reconstruisez **fidèlement** la conversation entre le majordome et le comte.

— Monsieur le comte, j'ai frappé à la porte de Madame pour lui servir
....
son déjeuner comme tous les matins, mais Madame ne répond pas.
....

— Vous l'avez appelée plus d'une fois ?
....

— Oui, Monsieur le comte, j'ai insisté. Je suis étonné car d'habitude
....
Madame ouvre tout de suite.
....

— Eh bien allons voir, Yves, ce qui se passe !
....

Enrichissez votre **vocabulaire**

1 Remplissez le tableau suivant et mettez en évidence les préfixes utilisés pour former les adjectifs contraires.

Nom	Adjectif m/f	Adverbe de manière	Adjectif contraire
honnêteté			
	régulier		
grâce			
	exact		
		honorablement	
utilité			
	continu		
		fidèlement	
	précis		
			heureux
			ignoble

À la découverte **de Paris**

La Place de l'Étoile

La Place de l'Étoile est caractérisée par douze avenues qui rayonnent autour d'un imposant Arc de triomphe construit pour évoquer l'épopée de Napoléon 1er. L'Arc, dont la construction fut ordonnée par l'empereur, présente des sculptures de sujets guerriers et ne fut terminé que sous le roi Louis-Philippe. Il abrite la tombe du Soldat inconnu (Première Guerre mondiale, 1914-1918). C'est sur cette place que, le 14 juillet 1919, on assista au défilé des troupes de la victoire. Le 26 août 1944, ce fut le tour des troupes du Général de Gaulle après la libération de Paris de l'occupation allemande, d'où le nom de Place Charles De Gaulle.

On peut accéder au sommet de l'Arc de triomphe, d'où on profite d'une vue superbe sur la place et les douze avenues.

1 Regardez attentivement le plan de ce quartier de Paris et dites quelles sont les douze avenues qui rayonnent autour de la Place de l'Étoile.

Production **écrite**

DELF **1** Envoyez un courriel à un correspondant dans lequel vous vous présentez et vous parlez de votre famille.

À vous les **indices !**

1 Trouvez les solutions et découvrez qui a eu accès à la cuisine.

1. Découvrir.
2. Pièce où le commissaire rencontre la famille.
3. Elle doit être un cordon bleu.
4. Étonné, perplexe.
5. Le XVIIe arrondissement l'est.
6. On y fait du feu.
7. La comtesse en mettait dans le lait. .
8. Le comte en est vêtu (3 mots).
9. Le labo les fait.
10. Le majordome, la cuisinière et la secrétaire ne sont pas assis, ils sont...
11. C'est le médecin chargé des autopsies.

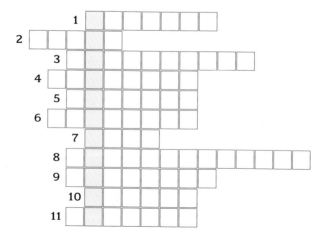

CHAPITRE **3**

Des témoignages importants

ui a mis le poison dans le lait ?... pense le commissaire en regardant, tour à tour, les personnes qui sont dans le salon. Il ajoute :

— J'espère que vous allez m'aider à découvrir ce qui s'est passé hier dans cette maison... Tout d'abord, je voudrais exclure qu'il s'agisse d'un suicide...

— Cela est à exclure absolument ! s'exclame la fille de la comtesse.

— Ma mère était heureuse et nous faisions beaucoup de projets pour l'avenir. Elle ne se serait jamais suicidée. Elle n'avait aucune raison de se tuer. Et puis on n'a trouvé aucun message, rien qui puisse nous faire penser à un geste désespéré.

— Et vous, Monsieur le comte, qu'en pensez-vous ? demande le commissaire Sorel.

— Ma femme n'avait aucune raison de se suicider. Je l'ai appelée hier soir et tout allait bien, elle était tranquille, comme d'habitude... C'est affreux... dit le comte, qui a du mal à continuer.

— Qui a pu avoir accès à la cuisine hier et où le lait a-t-il été

Du lait au fiel

acheté ? demande le commissaire.

— C'est le crémier [1] de la rue Villaret qui nous le livre tous les matins... commence le majordome, embarrassé.

— Tout le monde a pu entrer dans la cuisine, à n'importe quelle heure de la journée. Nous avons l'habitude de nous servir librement, sans appeler les domestiques, continue le comte.

— J'ai besoin de savoir où chacun de vous a passé la journée d'hier...

— Mon mari et moi, déclare Madame du Moulin, nous sommes sortis hier matin vers neuf heures et nous sommes rentrés tard dans la soirée, vers dix heures et demie ; nous avons passé la journée avec des amis qui habitent rue de la Colombe, dans l'île de la Cité. Quand nous sommes rentrés, ma mère s'était déjà retirée. Mon père était dans le salon avec mon oncle...

— Oui, en effet, ajoute le comte, je venais de rentrer du club des Champs-Élysées avec mon frère. Nous y étions allés dans l'après-midi. Je suis président et hier soir il y avait un dîner pour le vingtième anniversaire. Moi non plus, je n'ai pas vu ma femme hier soir, car elle était déjà montée dans sa chambre quand nous sommes rentrés, vers dix heures. Je lui avais téléphoné vers neuf heures et tout était tranquille.

Le commissaire remarque qu'il cherche quelque chose dans ses poches...

— Voici vos médicaments, Monsieur le comte, dit le majordome en lui présentant une boîte à pilules.

— C'est justement pour le vingtième anniversaire du club que je suis venu passer le week-end chez mon frère... Nous sommes sortis hier vers cinq heures... dit Bertrand de Hautefeuille, tendu.

1. **crémier** : personne qui a un magasin de produits laitiers.

Du lait au fiel

— Et vous, Mademoiselle Arnaud ? demande le commissaire.

— Je suis restée dans le bureau tout l'après-midi. Je suis sortie à six heures et demie.

— Je voudrais voir la maison, Monsieur le comte. Pouvez-vous m'accompagner ?

En sortant de la chambre de la comtesse, le commissaire redescend au rez-de-chaussée et jette un coup d'œil dans la cuisine. Ses hommes cherchent des empreintes ou des indices. Dans l'entrée, il demande à Mademoiselle Arnaud, visiblement troublée, de lui montrer le bureau qui se trouve dans l'aile droite de la maison.

Dans le bureau tout est en ordre, la porte-fenêtre qui donne sur la terrasse est ouverte. Un chat dort sur le canapé.

— Oh ! le beau chat !

— C'est Bérénice, ma chatte. Monsieur le Comte me permet de l'amener au bureau...

— Ça fait longtemps que vous travaillez ici ?

— Trois ans...

— Vous vous plaisez ici ?

— Oui, mais il y a beaucoup à faire.

— Et comment vont les affaires du comte de Hautefeuille ?

— Il faut poser cette question directement à Monsieur le comte... ! dit la secrétaire en rougissant.

La chatte, qui dormait paisiblement, se réveille et commence à miauler en se frottant contre les jambes [1] de sa maîtresse.

— Je crois que votre chatte a faim !

— Elle mangera à la maison.

— Donnez-lui un peu de lait, au moins... suggère le commissaire, attendri par l'insistance de la chatte.

— Bérénice est comme moi, elle déteste le lait !

---

1. **en se frottant contre les jambes...** : en passant contre les jambes...

Compréhension **orale**

DELF **1** Écoutez attentivement l'enregistrement du chapitre et cochez les bonnes réponses.

1. Le commissaire Sorel
   a. ☐ dit que Madame de Hautefeuille s'est probablement suicidée.
   b. ☐ dit que Madame de Hautefeuille a été sûrement assassinée.
   c. ☐ dit qu'il ne peut s'agir d'un suicide.

2. La fille de la comtesse dit que
   a. ☐ sa mère avait des problèmes et que l'hypothèse du suicide n'est pas à exclure.
   b. ☐ sa mère était heureuse et que l'hypothèse du suicide est à exclure.
   c. ☐ sa mère avait renoncé à des projets importants et que l'idée du suicide est envisageable.

3. Juliette et son mari
   a. ☐ sont sortis à dix heures et sont rentrés à vingt et une heures.
   b. ☐ sont sortis à neuf heures et sont rentrés à vingt-deux heures trente.
   c. ☐ ne sont pas sortis.

4. Monsieur de Hautefeuille
   a. ☐ est allé au club avec son frère.
   b. ☐ est allé fêter son anniversaire.
   c. ☐ est rentré à vingt et une heures.

5. Mademoiselle Arnaud
   a. ☐ a emmené sa chatte chez le vétérinaire.
   b. ☐ a travaillé dans son bureau toute la journée.
   c. ☐ est sortie pour aller à la poste.

7 ② Écoutez attentivement l'enregistrement et reconstruisez fidèlement la conversation téléphonique du comte avec sa femme.

— Allô, Hélène ? Comment vous portez-vous, ma chère amie, ce soir ?

....

— Mais bien, Norbert. Vous êtes encore au cercle ?

....

— Oui, ce dixième anniversaire est vraiment réussi, beaucoup de

....

membres sont venus de la Provence. J'ai retrouvé avec joie beaucoup

....

de vieux compagnons. Serez-vous encore éveillée à mon retour,

....

vers dix heures ?

....

— C'est probable, mon ami, je finis de lire cette page de journal et je me

....

retirerai.

....

— Eh bien, bonne nuit, ma chère amie. Nous nous verrons demain pour

....

le déjeuner.

....

Grammaire

① Complétez en mettant les verbes entre parenthèses au passé récent, au présent continu ou au futur proche selon les cas.

1. — Martine est là ?
   — Oui, elle (*rentrer*) ....

2. — Philippe a fait ses devoirs ?
   — Non, mais il (*les faire*) ...., dans quelques minutes.

3. — Je peux parler avec Paul ?
   — Non, en ce moment, il (*prendre*) .... une douche.

4. — Tu as l'air triste ! À quoi tu (*penser*) .... ?

5. — Elle est très contente, car elle (*trouver*) .... un nouvel emploi.

6. — Qu'est-ce qu'elle fait ?
   — Elle (*ranger*) .... la cuisine.

Enrichissez votre **vocabulaire**

1 Orthographiez correctement les mots suivants.

N ou NN ?

1. ancie_____e
2. Sorbo_____e
3. a_____imé
4. colo_____ie
5. colo_____ade

M ou MM ?

1. co_____issaire
2. che_____inée
3. majordo_____e
4. évide_____ent
5. té_____oignage

L ou LL ?

1. particu_____e
2. a_____arme
3. i_____égal
4. pi_____ule
5. fami_____e

S ou SS ?

1. adre_____e
2. a_____a_____iner
3. me_____age
4. ta_____e
5. poi_____on

Quel est le mot pour lequel les deux solutions sont possibles ?

....

Production **écrite**

DELF **1** C'est dimanche soir. Vous envoyez un courriel à un(e) ami(e) pour lui raconter ce que vous avez fait pendant la journée.

À la découverte **de Paris**

L'île de la Cité

L'Île de la Cité, où s'installa la tribu celte des *Parisii*, a été le véritable berceau de Paris qui s'appela *Lutèce* à l'époque des Gaulois.
On y trouve des monuments très importants : la Cathédrale Notre-Dame, le Palais de Justice, la Sainte-Chapelle et la Conciergerie.
La Cathédrale Notre-Dame, joyau de l'art gothique, a été bâtie du XIIe au XIIIe siècle. Mutilée pendant la Révolution, elle fut restaurée au XIXe siècle par Viollet-le-Duc, qui ajouta la célèbre flèche.

Ce fut à l'époque de la Révolution que le Palais de Justice prit son nom actuel et devint le siège des tribunaux. Dans l'enceinte du Palais de Justice se trouvent la Sainte-Chapelle et la Conciergerie.

Ce fut Saint Louis qui fit construire la Sainte-Chapelle, chef-d'œuvre de l'art gothique, célèbre pour ses magnifiques vitraux. Elle devait en effet accueillir la couronne d'épines du Christ. Elle est divisée en deux chapelles superposées : la chapelle basse et la chapelle haute.

La Conciergerie, autrefois résidence des rois de France, fut transformée en prison sous Charles V. Parmi les prisonniers célèbres qui y furent enfermés pendant la Révolution, il faut rapppeler la reine Marie-Antoinette, le poète André Chénier, Danton et Robespierre.

L'un des ponts célèbres qui relient l'île de la Cité à la rive droite et à la rive gauche est le Pont Neuf qui est, malgré son nom, le plus ancien pont de Paris. Il date de la fin du XVIe siècle.

1 Regardez ce plan et dites si les affirmations suivantes sont vraies ou fausses.

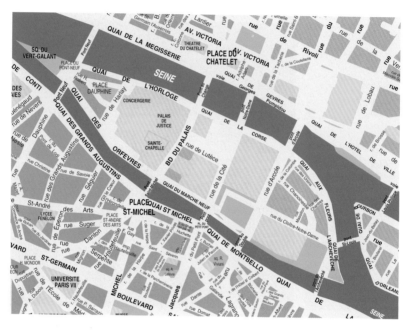

	V	F
1. Le Pont-Neuf unit la rive gauche à la rive droite.	☐	☐
2. Le quai des Grands Augustins est sur la rive droite.	☐	☐
3. Le pont Saint-Louis unit l'île Saint Louis et l'île de la Cité.	☐	☐
4. La Conciergerie donne sur le Quai de l'Horloge.	☐	☐
5. Le boulevard du Palais se trouve dans le Quartier latin.	☐	☐

CHAPITRE **4**

Le testament de la comtesse

son retour au commissariat, Sorel est persuadé que la comtesse ne s'est pas tuée et qu'il faut chercher l'assassin au 56 de la rue des Acacias. Il s'entretient avec ses collaborateurs :

— Il faut savoir qui sont les héritiers de la comtesse. J'ai déjà convoqué le notaire. En outre, cherchez à découvrir comment vont les affaires du comte. Si je ne me trompe pas, sa femme était beaucoup plus riche que lui. Quant à moi, j'irai au club pour contrôler ses déclarations. Juliette du Moulin semble être très affectée [1] par la mort de sa mère, je ne pense pas qu'elle soit coupable, mais on ne sait jamais... Et puis il y a son mari, Philippe du Moulin. Il n'a pas l'air trop secoué [2] par la mort de sa belle-

---

1. **affectée** : attristée.
2. **secoué** : troublé, agité.

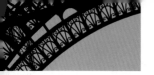

Du lait au fiel

mère... Le frère du comte est un personnage intéressant. Essayez de découvrir s'il s'entendait bien avec son frère et sa belle-sœur... N'oubliez pas d'interroger le majordome, il a un air tellement détaché !... Il ne semblait pas trop surpris. Il sait peut-être quelque chose qu'il ne nous a pas encore dit. Quant à Mademoiselle Arnaud, la secrétaire, on dirait qu'elle a peur de quelque chose, cherchez dans sa vie privée... Selon le rapport de la scientifique, le poison a bien été introduit dans le carton de lait, avec une seringue peut-être, car on y a trouvé les mêmes traces de poison que dans la tasse.

Le lendemain, le commissaire Sorel se rend au club pour vérifier l'alibi des deux frères. Le secrétaire lui confirme qu'ils ont passé l'après-midi et la soirée au club.

— Nous sommes tous bouleversés par cette histoire, dit le secrétaire. Nous sommes sûrs qu'il s'agit d'un accident ou... d'un suicide. Monsieur de Hautefeuille semblait inquiet, ces derniers temps, à propos de sa femme. Il venait au club beaucoup moins régulièrement, lui téléphonait sans arrêt [1], il était toujours ailleurs, comme si quelque chose le tracassait [2], oubliant ses calmants, ses lunettes ou tenez, hier soir, cette lettre.

Le commissaire s'empare de l'enveloppe et l'empoche [3] après avoir jeté un coup d'œil sur l'en-tête « Hippodrome de Longchamp ».

Le notaire, convoqué rue des Acacias, annonce que Madame de Hautefeuille a laissé son immense fortune à son mari et à sa

---

1. **sans arrêt** : très souvent.
2. **tracasser** : tourmenter continuellement.
3. **empocher** : mettre dans sa poche.

Du lait au fiel

fille. Dans le salon, Sorel observe les membres de la famille réunis et pense à ce qu'il sait de la victime.

Madame de Hautefeuille était une femme de caractère. Issue [1] d'une famille de la noblesse bordelaise, propriétaire d'immenses et prestigieux vignobles, Hélène de la Vigne avait épousé Norbert de Hautefeuille, noble ruiné. Quelques années après la naissance de leur fille Juliette, ils avaient quitté le château des de la Vigne pour s'installer à Paris dans leur belle maison de la rue des Acacias.

Le comte avait eu une figure contrariée quand le commissaire lui avait donné la lettre oubliée au club.

Le comte de Hautefeuille était-il dans une impasse [2] financière ? Certes, cet héritage arrivait alors à point !

Une surprise attend pourtant Sorel à son retour au commissariat : d'après les premières analyses, les empreintes de la secrétaire ont été retrouvées sur la brique de lait empoisonné !

Mademoiselle Arnold → ~~Secretaire~~
had fingerprints all over the
poison milk.

---

1. **issue** : née.
2. **impasse** : situation sans solution favorable.

Compréhension **orale**

1 Écoutez attentivement l'enregistrement du chapitre et cochez les bonnes réponses.

1. Le commissaire veut en savoir plus sur
   a. ☐ les affaires du comte.
   b. ☐ l'activité du gendre.
   c. ☐ le patrimoine de la comtesse.

2. Le commissaire va personnellement au club pour
   a. ☐ découvrir ce que le comte a perdu.
   b. ☐ savoir comment le comte a passé la journée.
   c. ☐ savoir quelles personnes ont participé à la réception.

3. Le secrétaire du club dit au commissaire que le comte
   a. ☐ était tranquille ces derniers temps.
   b. ☐ prenait des pilules de temps en temps.
   c. ☐ semblait avoir de graves soucis.

4. La lecture du testament apprend que la comtesse
   a. ☐ a laissé toute sa fortune à son mari et qu'elle a exclu sa fille.
   b. ☐ a laissé la totalité de ses biens à sa fille.
   c. ☐ a partagé sa fortune entre son mari et sa fille.

5. Les empreintes de Mademoiselle Arnaud ont été trouvées
   a. ☐ sur la brique de lait qui était dans le frigo.
   b. ☐ sur la tasse de lait que la comtesse tenait dans sa main.
   c. ☐ sur la porte du réfrigérateur.

2 Écoutez attentivement l'enregistrement et reconstruisez fidèlement la conversation entre le comte et le secrétaire du club.

— Bonjour, Robert, comment cela se passe-t-il, tout va bien ?
....

— Ah, bonjour Monsieur le comte. Oui, tout va bien.
....

— Tout le monde est installé ?

....

— Oui, la plupart des adhérents sont arrivés.

....

— Bon, alors tout est prêt, vous êtes sûr ?

....

— Oui, oui, soyez sans inquiétude, Monsieur le comte, tout a été

....

rigoureusement organisé.

....

Enrichissez votre **vocabulaire**

1 Cherchez des mots qui appartiennent aux champs sémantiques suivants.

1. Assassinat ....

2. Arsenic ....

3. Policier ....

Production **écrite**

DELF **1** Monsieur Martineau est soupçonné d'avoir participé au cambriolage d'une banque. Écrivez l'alibi qu'il raconte à la police. Le vol a été commis à trois heures de l'après-midi. Servez-vous de ces indications :

— déjeuner à la cantine jusqu'à deux heures ;

— une heure et demie de pause pour emmener les enfants chez le dentiste ;

— retour au bureau à 15h45 ;

— travail jusqu'à 18h30.

À la découverte **de Paris**

Les Champs-Élysées

1 Regardez le plan et répondez aux questions.

— Quelles sont les deux places qui délimitent l'avenue des Champs-Élysées ?

— Comment s'appelle le rond-point qui se trouve sur l'avenue des Champs-Élysées ?

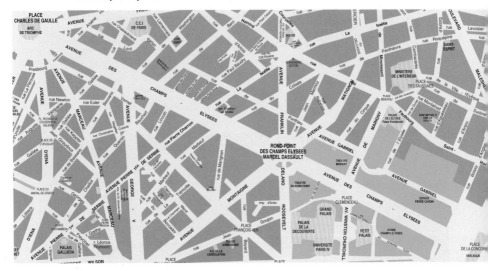

2 Lisez ce texte et vérifiez vos réponses.

Du Jardin des Tuileries, on aperçoit à l'arrière-plan, derrière l'Arc de triomphe, la silhouette de marbre blanc de la Grande Arche de la Défense. Sur 8 km, s'étend l'une des perspectives urbaines les plus célèbres. Imaginée par le jardinier Le Nôtre, elle fut prolongée au cours des siècles jusqu'aux cérémonies du bicentenaire de la Révolution française (1989), quand on érigea à ses deux extrémités la Pyramide du Louvre et la Grande Arche, signée Otto von Spreckelsen. À partir de la place de la Concorde, l'avenue des Champs-Élysées est caractérisée par des jardins plantés de marronniers. Sur la droite, les jardins du palais de l'Élysée, résidence du président de la République. Sur la gauche, vers la Seine, le Grand Palais et le Petit Palais, bâtis à l'occasion de l'Exposition de 1900. Passé le Rond-Point des Champs-Élysées, l'avenue change : elle est bordée de cafés luxueux, de cinémas, de boutiques élégantes pour finir enfin place de l'Étoile (ou place Charles de Gaulle).

CHAPITRE 5

Il y a une réponse à tout

es empreintes de la secrétaire sur la brique de lait ! Ainsi la jeune femme a menti quand elle a déclaré qu'elle ne buvait pas de lait, et sa chatte non plus. Pourtant... il sent que quelque chose cloche[1] dans cette affaire... Pourquoi Mademoiselle Arnaud aurait-elle tué la comtesse ? Pendant qu'il s'interroge, ses collaborateurs arrivent avec de nouveaux détails qui compliquent cette affaire. L'inspecteur Verdun informe le commissaire que le comte ne s'entendait plus très bien avec sa femme et que c'était un mari très jaloux. Il lui téléphonait sans arrêt mais, contrairement à ce que pense le secrétaire du club, c'était pour contrôler ses allées et venues.

Selon le majordome, le comte recevait depuis quelque temps

---

1. **clocher** : être insolite, ne pas sembler normal.

des lettres anonymes qui l'informaient que sa femme avait un amant et voulait le quitter.

En outre, il fréquentait assidûment l'hippodrome de Longchamp en compagnie de son frère et perdait des sommes importantes aux courses.

De son côté, l'inspecteur Berthier a découvert que le gendre de la comtesse avait des besoins énormes d'argent et que ses affaires n'étaient plus florissantes depuis quelque temps. Par ailleurs, il ne s'entendait pas avec sa belle-mère, opposée depuis toujours à ce mariage.

Quant au frère du comte, il semblait avoir l'intention de quitter hâtivement [1] la France. En effet, il venait de retenir deux places d'avion pour le Canada, où il avait récemment acheté des terrains.

— Deux places ? demande le commissaire.

— Qui donc accompagne le frère du comte ?

Sorel décide d'aller rue des Acacias faire une surprise à la secrétaire et lui poser quelques questions à propos des empreintes sur la brique de lait. Le majordome l'accompagne jusqu'au bureau. La secrétaire regarde, troublée, le majordome qui s'efface pour laisser passer le commissaire.

— Mademoiselle, commence Sorel, je crois que vous devez m'expliquer quelque chose... vous m'avez dit que vous ne buvez jamais de lait, mais... on a retrouvé vos empreintes sur la brique de lait empoisonné... ! Comment pouvez-vous l'expliquer ?

— Mais ce n'est pas possible ! Ça doit être une erreur ! s'exclame Mademoiselle Arnaud, qui commence à pleurer.

---

1. **hâtivement** : rapidement.

Il y a une réponse à tout

— Il y a sûrement une explication. Réfléchissez bien ! Vraiment, vous êtes sûre que vous n'avez pas touché au carton de lait ? insiste le commissaire.

— Non, je vous ai bien déjà dit que je déteste le lait... non, je n'ai pas ouvert le frigo, je vous jure !... Ah ! si, je me souviens maintenant, j'ai pris du lait... Oh, mais vous ne me croirez jamais !... Monsieur le commissaire ! Mais je vous jure que c'est la vérité ! J'ai donné du lait à un chat qui vient de temps en temps... sur la terrasse, dit Mademoiselle Arnaud.

— Vous avez donné du lait à un chat qui vient de temps en temps ? demande le commissaire.

— Oui, Monsieur le commissaire, c'est la vérité ; il était à peu près cinq heures et demie. Le chat est venu sur la terrasse et, comme il miaulait, j'ai pensé lui donner un peu de lait. J'ai vidé dans un bol [1] le reste de lait d'un carton presque vide et j'en ai ajouté un peu en ouvrant un nouveau carton. C'est la vérité, je vous jure !

— Mais je vous crois, Mademoiselle, calmez-vous... ! dit le commissaire, qui n'a pas cessé de penser au chat de Madame Morin.

Il croit qu'elle dit probablement la vérité. Comment pourrait-elle imaginer qu'il sait tout sur la mort d'un chat auquel elle a donné du lait quelques heures avant la mort de la comtesse ?

---

1. **bol** : récipient hémisphérique pour contenir des boissons.

Compréhension **orale**

DELF ❶ Écoutez attentivement l'enregistrement du chapitre et cochez les bonnes réponses.

1. Le commissaire pense que Mademoiselle Arnaud
   a. ☑ a donné du lait à un chat du quartier.
   b. ☐ voulait empoisonner le chat d'une voisine.
   c. ☐ a donné du lait à sa chatte.

2. Le commissaire apprend que
   a. ☐ la comtesse écrivait des lettres anonymes.
   b. ☐ la comtesse recevait des lettres anonymes.
   c. ☑ le comte recevait des lettres anonymes.

3. Le commissaire découvre que
   a. ☐ les affaires du gendre sont florissantes.
   b. ☐ le gendre de la comtesse avait de bons rapports avec sa belle-mère.
   c. ☐ la comtesse ne s'entendait pas bien avec son gendre.

4. Le beau-frère de la comtesse
   a. ☑ a acheté deux billets pour le Canada.
   b. ☐ a acheté un billet pour le Canada.
   c. ☐ habite au Canada.

5. Mademoiselle Arnaud affirme
   a. ☐ qu'elle n'a jamais touché la brique de lait.
   b. ☐ qu'elle est allée acheter la brique de lait où on a trouvé le poison.
   c. ☐ se rappeler avoir donné du lait à un chat du quartier.

11 **2** Écoutez attentivement l'enregistrement et reconstruisez fidèlement la conversation entre l'inspecteur Verdun et le majordome.

— Je voudrais vous poser quelques questions.

....

— Je suis à la disposition de la justice, Monsieur l'inspecteur.

....

— Un majordome, il doit tout savoir. N'avez-vous rien noté d'étrange

....

dans le comportement de la comtesse dernièrement ?

....

— Il avait, n'est-ce pas, comment dire ?... comme un air, n'est-ce pas,

....

bizarre. Monsieur le comte était très nerveux, quand il était dehors,

....

il téléphonait souvent pour savoir si Madame était partie.

....

— La comtesse avait une vie mondaine ?

....

— Madame la comtesse, était, n'est-ce pas, très casanière, n'est-ce

....

pas, si je peux lire, mais Monsieur le comte était très jaloux surtout

....

depuis qu'il recevait, n'est-ce pas, des messages anonymes.

....

— Qu'est-ce que vous me chantez là ?

....

— Oui, Monsieur l'inspecteur, tout a commencé il y a des mois.

....

Un jour par hasard, j'ai vu un bref message dans le bureau qui disait

....

« Êtes-vous aveugle ? Filez votre femme et vous connaîtrez son

....

amant ! »

....

Grammaire

1 Cherchez dans la grille les participes passés exacts pour compléter les phrases suivantes.

1. Les empreintes qui ont été .... sur le carton de lait sont celles de la comtesse.

2. Le frère du comte a .... deux billets d'avion pour le Canada.

3. Il s'installera dans la propriété qu'il a .... au Canada.

4. Tout d'abord la secrétaire a .... qu'elle n'a pas .... à la brique de lait puis elle s'est .... que oui.

5. Une petite quantité de lait a .... pour empoisonner la comtesse.

6. C'est le crémier du coin qui a ....les cartons de lait.

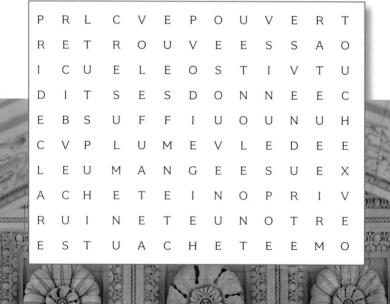

P	R	L	C	V	E	P	O	U	V	E	R	T
R	E	T	R	O	U	V	E	E	S	S	A	O
I	C	U	E	L	E	O	S	T	I	V	T	U
D	I	T	S	E	S	D	O	N	N	E	E	C
E	B	S	U	F	F	I	U	O	U	N	U	H
C	V	P	L	U	M	E	V	L	E	D	E	E
L	E	U	M	A	N	G	E	E	S	U	E	X
A	C	H	E	T	E	I	N	O	P	R	I	V
R	U	I	N	E	T	E	U	N	O	T	R	E
E	S	T	U	A	C	H	E	T	E	E	M	O

Enrichissez votre **vocabulaire**

1 Voici l'arbre généalogique de la famille de Madame Martin et Monsieur Duchamp. Répondez aux questions et trouvez d'autres liens de parenté qui unissent ces personnes en vous servant du vocabulaire donné.

> la belle-mère   le père   la femme   le beau-père
> le mari   le beau-fils   la sœur   les oncles   la belle-fille
> la fille   la tante   la mère   les neveux

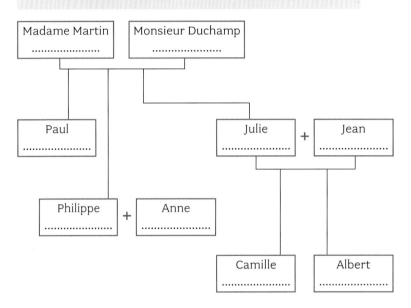

1. Qui est Madame Martin par rapport à Anne et Jean ?
   ....

2. Qui est Monsieur Duchamp par rapport à Paul, Philippe et Julie ?
   ....

3. Qui est Monsieur Duchamp par rapport à Jean ?
   ....

4. Qui est Camille par rapport à Julie et Jean ?
   ....

5. Qui est Camille par rapport à Albert ?
   ....

6. Qui sont Camille et Albert par rapport à Philippe et Anne ?

....

7. Qui sont Paul et Philippe par rapport à Camille et Albert ?

....

8. Qui est Anne par rapport à Camille et Albert ?

....

9. Qui est Anne par rapport à Philippe ?

....

À vous les **indices !**

1 **Trouvez les solutions et découvrez ce que pense le commissaire de toute cette affaire.**

1. Bertrand de Hautefeuille l'est devenu au Canada.

2. Dire des mensonges.

3. Nombre de billets d'avion acquis par Bertrand de Hautefeuille.

4. Bertrand de Hautefeuille va bientôt s'y rendre.

5. Mademoiselle Arnaud y a versé du lait pour le chat.

6. Les lettres anonymes prétendent que la comtesse en a un.

7. Mademoiselle Arnaud craint que le commissaire ne juge ainsi son histoire.

8. Mademoiselle Arnaud s'est souvenue de l'avoir ouvert.

9. Celles que recevait le comte étaient anonymes.

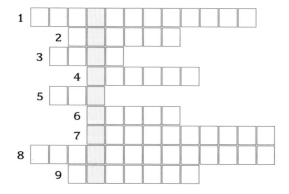

À la découverte **de Paris**

Le Marais

Le Marais, situé entre le IIIᵉ et le IVᵉ arrondissements, naît au XIIIᵉ siècle, quand les Templiers décident de défricher les marécages (marais) autour de la rue Saint-Antoine, sur l'ancien lit de la Seine. La rue Saint-Antoine, ancienne voie romaine, devient la rue des fifres et des tournois. Après la mort accidentelle d'Henri II, blessé par une lance en 1559, sa femme Catherine de Médicis fait démolir l'Hôtel des Tournelles, la

résidence royale. Sur les ruines, Sully construit la Place Royale, future Place des Vosges, achevée en 1612, où résideront Richelieu, Corneille et la Marquise de Sévigné. Sous les Bourbons, la rue Saint-Antoine est la plus belle de Paris et le quartier devient le centre de la vie élégante.

Il sera ensuite délaissé pour Versailles et Saint-Germain, pour devenir le centre de l'artisanat aux XIXᵉ et XXᵉ siècles.

Aujourd'hui, le Marais compte toujours ses vieilles demeures du XVIIᵉ et XVIIIᵉ siècle, ses hôtels particuliers. Parmi eux, l'Hôtel Salé, qui abrite le Musée Picasso, et l'Hôtel Carnavalet, qui abrite le Musée de la ville de Paris, avec une importante collection de l'époque de la Révolution française.

1 Répondez aux questions suivantes.

1. Quelle est l'origine du nom de ce quartier ?
2. Quels personnages y ont habité ?
3. Quel épisode tragique a eu lieu dans ce quartier ?
4. Que sont devenus certains hôtels particuliers ?

CHAPITRE **6**

L'affaire se complique

ourquoi Mademoiselle Arnaud a-t-elle donné du lait au chat, si elle savait qu'il était empoisonné ? ! Et pourquoi a-t-elle laissé ses empreintes sur le carton ? Le commissaire se pose toutes ces questions en quittant Mademoiselle Arnaud.

Les jours suivants, l'enquête piétine [1], les collaborateurs de Sorel n'ont rien trouvé de nouveau et le commissaire décide de retourner rue des Acacias pour parler encore une fois avec les membres de la famille. À son arrivée à la villa, il est accueilli par le comte, qui est très agité.

— Je voudrais vous parler, dit Sorel.

— Ah ! Monsieur le commissaire, j'allais justement vous appeler... Allons au salon !

---

1. **piétiner** : ici, ne faire aucun progrès, ne pas avancer.

L'affaire se complique

— De quoi s'agit-il ? demande le commissaire.

— Je suis très inquiet, car mon frère n'est pas rentré déjeuner et il est déjà dix-sept heures. Il est sorti vers dix heures et il devait rentrer vers treize heures. Contrairement à son habitude, il n'a pas appelé pour nous prévenir de son retard.

— Vous avez vérifié s'il n'est pas chez des amis ?

— Personne ne l'a vu... Je ne comprends pas... d'habitude, il appelle toujours quand il ne rentre pas déjeuner...

— Ne vous inquiétez pas, votre frère a sûrement eu un empêchement [1]. Au fait, vous saviez qu'il doit s'installer au Canada ?

— Oui, mon frère m'a parlé plusieurs fois de ce projet, mais je ne pense pas qu'il parte bientôt...

— Au contraire, Monsieur le comte, il a retenu récemment deux places d'avion. Le départ semble prévu pour la fin du mois !

— Vous avez dit deux billets ? ! Pour la fin du mois ? Ce n'est pas possible ! Mon frère ne m'a rien dit...

— C'est étrange, en effet. Savez-vous avec qui il part ? Une femme ? Un collaborateur, un ami ?

— Je n'en sais rien du tout, c'est tout à fait extraordinaire ! s'écrie le comte, qui n'a pas l'air de croire à ce qu'il vient d'entendre.

— Monsieur le comte, puis-je savoir comment étaient les rapports entre votre femme et votre frère ? demande le commissaire en regardant le comte droit dans les yeux.

— Ils s'entendaient bien, mais pourquoi me demandez-vous ça ?

---

1. **empêchement** : contretemps.

Du lait au fiel

— Nous savons que vous étiez très jaloux. Il paraît aussi que vous receviez des lettres anonymes disant que votre femme avait un amant...

— Comment savez-vous cela ? s'exclame le comte, très ému.

— Est-il vrai que vous surveilliez votre femme ? Vous étiez sans arrêt inquiet ?

— Oui, c'est vrai, mais jamais je n'ai pensé qu'il pouvait y avoir quelque chose entre elle et mon frère !

La sonnerie du téléphone interrompt la conversation. Le comte décroche et passe tout de suite l'appareil au commissaire.

— C'est pour vous, Monsieur le commissaire.

Quelques instants après, Sorel raccroche et dit :

— Monsieur le comte, je suis désolé. On vient de m'apprendre qu'on a retrouvé le corps de votre frère dans la Seine. Je suis vraiment désolé. Il faut aller identifier officiellement le corps.

Le comte ne répond pas, accablé [1].

1. **accablé** : abattu.

Compréhension **orale**

DELF **1** Écoutez attentivement l'enregistrement du chapitre et cochez les bonnes réponses.

1. Quand Sorel se rend rue des Acacias,
   a. ☐ le comte l'accueille cordialement.
   b. ☐ le comte a l'air décontracté.
   c. ☑ le comte a l'air inquiet.

2. Le frère du comte
   a. ☑ est sorti à dix-sept heures et il n'est pas encore rentré.
   b. ☐ est sorti le matin et il n'est pas rentré pour le déjeuner.
   c. ☐ vient de téléphoner pour dire qu'il est chez des amis.

3. Le comte
   a. ☑ sait que son frère va partir un jour.
   b. ☐ sait que son frère a décidé de ne plus partir.
   c. ☐ va partir pour le Canada avec son frère.

4. Selon le comte, la comtesse et son frère
   a. ☐ étaient amants.
   b. ☑ s'entendaient bien.
   c. ☐ se détestaient.

5. Le commissaire sait que le comte était
   a. ☑ un mari jaloux.
   b. ☐ un mari tourmenté par une épouse jalouse.
   c. ☐ un mari inquiet pour la santé da sa femme.

6. Le commissaire apprend au comte
   a. ☐ que son frère s'est rendu au commissariat.
   b. ☐ que son frère vient d'avoir un accident de voiture.
   c. ☑ qu'on a retrouvé le corps de son frère dans la Seine.

13 **2** Écoutez attentivement l'enregistrement et reconstruisez fidèlement la conversation entre le commissaire Sorel et l'inspecteur Verdun.

— Allô, commissaire, il y a du nouveau sur l'affaire Hautefeuille qui va
....
vous étonner.
....

— Qu'est-ce qu'il y a ?
....

— On a repêché le corps d'un homme dans la Seine.
....

— Vous l'avez identifié ?
....

— C'est probablement Bertrand de Hautefeuille !
....

— Bon, j'arrive !
....

Production **écrite et orale**

DELF **1** Envoyez un court message à vos parents pour les prévenir de votre retard. Choisissez une cause pour votre retard ou inventez-la.

- Vous avez raté le bus que vous prenez d'habitude.
- Vous avez rencontré un(e) ami(e) que vous ne rencontriez pas depuis longtemps et vous avez bavardé avec lui/elle.
- Vous êtes allé(e) avec vos amis dans une pizzeria et on vous a servis très tard.

2 Écrivez le courriel qu'un jeune homme jaloux envoie à sa fiancée. Il a essayé plusieurs fois de la contacter mais elle n'était pas chez elle et son portable était éteint. Il est furieux.

3 Des parents préoccupés téléphonent à la police parce que leur fille de 16 ans n'est pas encore rentrée. Il est déjà neuf heures et demie et elle aurait dû rentrer pour le dîner. Heureusement que la conclusion est positive ! Après le coup de téléphone à la police, la jeune fille rentre chez elle avec un joli petit chat. Il s'était caché sous une voiture et elle a mis longtemps pour l'attraper. Jouez la scène.

À vous les **indices** !

1 Trouvez les solutions et découvrez le quartier où le corps de Bertrand de Hautefeuille a été retrouvé.

1. Ils font avancer l'enquête.
2. Le comte l'était avec sa femme.
3. Celui de Bertrand de Hautefeuille était prévu pour la fin du mois.
4. Celle de la mort de Bertrand est mauvaise.
5. C'est la rue où habite le comte.
6. Le comte l'est quand le commissaire arrive.
7. Dont l'auteur est inconnu.
8. C'est le plus jeune des deux qui a été retrouvé dans la Seine.
9. Celui du lait est en carton.
10. Le commissaire a reçu celui de l'inspecteur Verdun (3 mots).
11. Pièce où la secrétaire travaille.
12. Est-ce que la comtesse en avait une ?
13. Fleuve où on a retrouvé le corps de Bertrand de Hautefeuille.

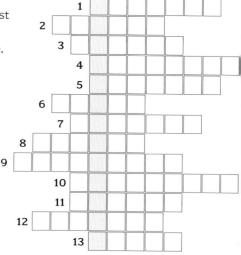

À la découverte **de Paris**

Le Louvre

Le Louvre se dresse sur la rive droite. Devant le Louvre, se trouve le célèbre Pont des Arts qui relie la rive droite à la rive gauche. Le palais du Louvre a été construit au cours de plusieurs siècles. Au XIIIe siècle, Philippe-Auguste ordonna la construction d'un palais féodal, que Charles V fit embellir au XIVe siècle. Au XVIe siècle, François Ier fit construire un palais de style Renaissance, complété par ses successeurs. Catherine de Médicis fit bâtir à côté du Louvre le palais des Tuileries, incendié par le peuple en 1871. Louis XIV fit agrandir la cour Carrée et l'architecte Charles Perrault édifia la célèbre colonnade. Napoléon fit poursuivre la construction du Louvre, achevée sous Napoléon III (1853-1857).
Le président Mitterrand a fait construire la célèbre pyramide en verre qui permet aujourd'hui l'accès au musée.

1 Quand la construction du Louvre a-t-elle commencé ?

2 Qu'apprend-on dans ce texte sur les Tuileries ?

3 Quand le Louvre a-t-il été achevé ?

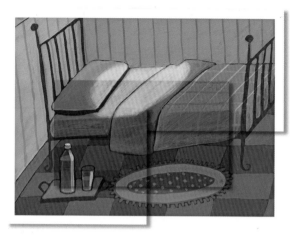

CHAPITRE 7

Des indices confus

u commissariat, Sorel fait le point de la situation avec Verdun : le corps de Bertrand de Hautefeuille a été retrouvé vers quinze heures, près du quai de l'île Saint-Louis.

— Qui a averti la police ? demande Sorel.

— Un couple d'amoureux qui se promenait sur les quais. Ils ont tout de suite appelé le commissariat.

— À quand remonte l'heure de la mort ?

— D'après le médecin légiste, l'homme s'est noyé entre dix heures et demie et midi. Le corps a pu être identifié grâce à ses papiers.

— Il s'agit d'un suicide ?

— On ne sait pas encore. On n'a trouvé aucun message. D'après la reconstitution des faits, Bertrand de Hautefeuille a quitté la demeure de son frère vers dix heures et s'est rendu à la banque, l'agence de la Société Générale du boulevard Haussmann où il avait rendez-vous avec le directeur pour définir les détails d'un passage de capitaux en vue de son installation prochaine au Canada. Il n'avait pas de dettes, bien au contraire, et il envisageait [1] d'étendre ses affaires sur le nouveau continent, continue Verdun.

Le commissaire Sorel, qui trouve cette affaire de plus en plus compliquée, s'exclame :

— Il doit y avoir un lien entre la mort de la comtesse et celle de son beau-frère ! Mais lequel ? Avez-vous trouvé des preuves de l'infidélité de la comtesse ?

— Non, répond l'inspecteur Berthier, il n'y a aucune preuve, à part les lettres anonymes que le comte a enfin décidé de nous montrer ce matin.

— Parlez-moi de ces lettres, Berthier !

— Eh bien ! Ce sont des lettres manuscrites et on est en train d'analyser l'écriture. On va la confronter avec celle des membres de la famille et des domestiques pour commencer. On sait que la comtesse sortait rarement toute seule. Sa meilleure amie jure qu'elle n'avait aucun amant, elle ne sortait que pour faire des achats avec sa fille ou pour jouer au bridge avec ses amies. La jalousie de son mari l'agaçait [2], d'autant plus qu'elle était sans fondement.

— Elle ne savait pas que son mari recevait des lettres anonymes ?

— Non, il paraît qu'elle n'était pas au courant. Quant au frère

---

1. **envisager** : faire le projet de.
2. **agacer** : irriter.

Du lait au fiel

du comte, une liaison avec celui-ci est à exclure. Ils se rencontraient rarement et toujours quand le comte était là. La comtesse accueillait courtoisement son beau-frère quand il était de passage à Paris, mais il n'y avait aucune entente particulière entre eux. Il y a autre chose, cependant. Nous avons appris, au *Franc Pinot*, quai de Bourbon, où il déjeunait souvent, que Bertrand de Hautefeuille rencontrait une jeune femme. Le garçon dit qu'elle a environ trente ans, qu'elle est blonde, mince et très simple.

— Le *Franc Pinot* ? C'est un restaurant à deux fourchettes [1]. Tiens, c'est bizarre.

— Il y a un détail qui peut être utile : elle est gauchère [2], le garçon s'en est aperçu quand elle a signé le reçu de sa carte de crédit. Elle vient quelquefois toute seule.

— Continuez sur cette piste. Il faut retrouver ce reçu pour découvrir qui est cette jeune femme.

— Vous croyez qu'elle a quelque chose à voir avec la mort de Bertrand de Hautefeuille ?

— Peut-être... Cette jeune femme simple... avec Bertrand de Hautefeuille, élégant, mondain, dans un restaurant plutôt modeste ! Essayez d'en savoir plus ! Blonde, mince, gauchère... pense le commissaire, je crois que demain je vais aller faire un tour rue des Acacias pour bavarder un peu...

---

1. **restaurant à deux fourchettes** : restaurant pas très cher.
2. **gaucher/gauchère** : qui se sert habituellement de la main gauche.

Compréhension **orale**

DELF **1** Écoutez attentivement l'enregistrement du chapitre et cochez les bonnes réponses.

1. Le corps du frère du comte a été retrouvé
   a. ☐ pendant la nuit.
   b. ☑ l'après-midi vers quinze heures.
   c. ☐ vers dix heures et demie.

2. Le comte a été identifié
   a. ☐ car il avait ses papiers d'identité sur lui.
   b. ☐ parce qu'un passant l'a reconnu.
   c. ☐ grâce à ses empreintes digitales.

3. Bertrand de Hautefeuille s'était rendu à la banque
   a. ☐ pour retirer une forte somme d'argent.
   b. ☐ pour verser une grosse somme d'argent.
   c. ☑ parce qu'il avait rendez-vous avec le directeur.

4. L'inspecteur Verdun dit au commissaire que
   a. ☐ Bertrand de Hautefeuille s'est suicidé.
   b. ☐ Bertrand de Hautefeuille a glissé malencontreusement dans l'eau.
   c. ☑ le corps a été retrouvé dans l'eau.

5. Sorel pense que la mort de Bertrand de Hautefeuille
   a. ☑ est liée à l'empoisonnement de la comtesse.
   b. ☐ n'a rien a voir avec l'empoisonnement de la comtesse.
   c. ☐ est liée aux dettes de celui-ci.

6. L'inspecteur Berthier
   a. ☐ a trouvé les preuves de l'infidélité de la comtesse.
   b. ☐ n'a pas trouvé de preuve de l'infidélité de la comtesse.
   c. ☐ n'a pas encore eu dans les mains les lettres anonymes que le comte avait reçues.

7. Les lettres anonymes
   a. ☐ ont été écrites à la main.
   b. ☐ ont été tapées à la machine.
   c. ☐ ont été écrites à l'aide de lettres découpées dans les journaux.

8. Berthier a découvert que
   a. ☐ Bertrand rencontrait souvent la comtesse dans un restaurant.
   b. ☐ Bertrand rencontrait une femme d'environ cinquante ans.
   c. ☐ Bertrand rencontrait une jeune femme blonde et mince.

15 ❷ **Écoutez attentivement l'enregistrement et reconstruisez fidèlement la conversation entre l'inspecteur Verdun et les deux amoureux.**

— C'est vous qui avez prévenu la police ?

....

— Oui, oui, c'est nous !

....

— Bon, alors reprenons ! À quel moment avez-vous vu le cadavre qui

....

flottait ?

....

— Ben, que vous dire, Monsieur le commissaire... ?

....

— Inspecteur ! Je suis l'inspecteur Verdun.

....

— Inspecteur, environ quinze heures trente. Nous marchions le long

....

du quai et d'un seul coup nous l'avons vu . C'était horrible.

....

On a aussitôt téléphoné au commissariat. Vous pensez !

....

C'était la dernière fois qu'on découvrait un comte.

....

Vous croyez qu'il s'est noyé accidentellement ?

....

Enrichissez votre **vocabulaire**

1 Écrivez les substantifs qui dérivent des verbes suivants.

1. se promener ....
2. se noyer ....
3. identifier ....
4. décider ....

5. analyser ....
6. sortir ....
7. accueillir ....
8. continuer ....

2 Décrivez ces suspects.

1. ....
....
2. ....
....
3. ....
....
4. ....
....

À la découverte **de Paris**

L'hippodrome de Longchamp

Ouvert sous le Second Empire, en 1857, quand Haussmann fit détruire le mur autour de la forêt et aménagea le Bois de Boulogne selon le modèle de Hyde Park, l'hippodrome de Longchamp fut suivi quelques années après, en 1870, par l'hippodrome d'Auteuil, situé plus à l'est et spécialisé dans le saut d'obstacles. Longchamp est le temple de la course de plat (c'est-à-dire de galop) et on y court les plus grands prix : le Grand Prix (dernier dimanche de juin) et le Prix de l'Arc de triomphe (premier dimanche d'octobre).

Il y a de nombreux autres hippodromes à Paris et dans des villes plus ou moins proches. Ils témoignent de l'intérêt des Français pour les courses. Les hippodromes de Longchamp, Saint-Cloud, Maisons-Laffitte et Chantilly sont spécialisés dans les courses de plat ; Vincennes dans les courses de trot (avec les sulkies) ; Auteuil dans celles d'obstacles (saut de haies et de rivières) ; et Enghien dans ces deux dernières. Les amateurs de courses de chevaux sont les turfistes et beaucoup de Français jouent au tiercé. Le tiercé est un jeu de hasard très populaire qui se joue le dimanche matin dans les P.M.U. (Pari Mutuel Urbain), où sont enregistrés les paris.

1 Pourquoi Longchamp est-il le temple de la course ?

2 Qu'est-ce qu'un turfiste ?

3 Indiquez la (ou les) spécialité(s) de ces hippodromes en cochant les cases.

	Course de plat	Course de trot	Saut d'obstacles
Auteuil			
Chantilly			
Enghien			
Longchamp			
Maisons-Laffitte			
Saint-Cloud			
Vincennes			

CHAPITRE **8**

Une conversation intéressante

e lendemain, avant de se rendre rue des Acacias, le commissaire Sorel examine le rapport du médecin légiste qui a effectué l'autopsie sur le corps de Bertrand de Hautefeuille. Il n'y a pas de doute, Bertrand de Hautefeuille a été assassiné : après avoir reçu un coup violent à la tête, il a été poussé dans l'eau où il est mort noyé.

Il ne s'est pas suicidé, ce n'est pas en tombant qu'il s'est blessé à la tête.

En prenant la rue des Acacias, le commissaire passe en revue mentalement tous les personnages de cette affaire et il est persuadé encore une fois que, parmi eux, se trouve l'assassin. Quand il arrive chez le comte, il n'est que dix heures

et quart. Le majordome lui apprend que tout le monde est sorti. Personne ne rentrera avant le déjeuner.

— Je voudrais vous poser quelques questions. Quand avez-vous vu Bertrand de Hautefeuille pour la dernière fois ?

— Hier matin, après le petit-déjeuner, Monsieur Bertrand a reçu un coup de téléphone et puis il est sorti.

— C'est vous qui avez pris la communication ?

— Non, c'est la cuisinière, Odette, car j'étais occupé. Voulez-vous que je l'appelle ?

— Oui, dites-lui que je désire lui parler.

Après quelques minutes, Odette entre dans le salon. Le commissaire est surpris encore une fois par cette jeune femme blonde, élancée, avenante, dont les yeux pétillent [1] d'intelligence.

— Asseyez-vous, Mademoiselle. Que pouvez-vous me dire sur le coup de téléphone que le frère du comte a reçu hier avant de sortir ?

— Il devait être neuf heures environ, le facteur venait de sonner et j'allais lui ouvrir quand le téléphone a sonné. J'ai pris la communication dans l'entrée, Yves était occupé.

— Vous avez reconnu la voix de la personne qui a appelé ?

— Non, c'était une voix d'homme.

— Vous avez peut-être entendu, sans le vouloir, des bribes [2] de phrases quand Monsieur de Hautefeuille était au téléphone ?

— Pas vraiment. Il n'a pas dit grand-chose. Juste : oui, non, bien sûr... Rien de particulier.

---

1. **pétiller** : ici, briller d'un éclat très vif.
2. **des bribes** : de petits fragments.

Une conversation intéressante

— Rien qui puisse faire comprendre le sujet de la conversation ?

— Non, mais je peux vous assurer qu'il n'était pas inquiet.

— Qu'a fait Monsieur de Hautefeuille après avoir raccroché ?

— Je lui ai donné une lettre arrivée avec le courrier et il est sorti. Je suis tellement désolée pour ce qui lui est arrivé. C'était un vrai monsieur, même si...

— Que voulez-vous dire ?

— J'ai entendu dire qu'il jouait aux courses, qu'il misait gros [1]. Madame la comtesse n'aimait pas que Monsieur Norbert l'accompagne à Longchamp.

— Il n'a jamais reçu de coups de fil d'une femme quand il demeurait ici ?

— Non, mais quelquefois il recevait des lettres. Je crois que c'était toujours du même expéditeur. Il les brûlait tout de suite après, dans la cheminée. C'est plutôt curieux, non ?

— Tout le monde était là, hier ? demande Sorel qui décide d'exploiter l'esprit d'observation de la cuisinière.

— Non. Pas tout le monde. Le comte est resté toute la journée ici, avec sa fille. Par contre, Monsieur du Moulin est sorti de bonne heure... Il a dit qu'il allait voir un ami... qui habite à Montmartre, ajoute-t-elle en hésitant.

Le commissaire remarque que la cuisinière a prononcé cette dernière phrase un peu embarrassée.

— Et vous ?

— Eh bien, moi je n'ai pas bougé. J'avais beaucoup de travail. Yves est sorti vers onze heures pour aller voir sa sœur hospitalisée

---

1. **miser gros** : déposer une grosse somme d'argent dans un jeu.

Du lait au fiel

à l'hôpital Cochin. Il est rentré une heure après. « Une visite brève, l'hôpital est à l'autre bout de Paris » pense Sorel qui ajoute :

— Et... Mademoiselle Arnaud ?

— Hier, elle a pris une demi-journée de congé, je crois. Elle est rentrée dans l'après-midi. Quand Monsieur le comte lui a appris l'affreuse nouvelle pour Monsieur Bertrand, elle a eu un malaise [1]... vous savez, toutes ces choses horribles les unes après les autres... Elle est très sensible.

— Oui, bien sûr, répond le commissaire d'un air absent.

---

1. **malaise** : sensation pénible et vague provoquée par un trouble du fonctionnement du corps.

Compréhension **orale**

DELF **1** Écoutez attentivement l'enregistrement du chapitre et cochez les bonnes réponses.

1. Le médecin légiste explique au commissaire que la victime
   a. ☐ est tombée dans la Seine accidentellement.
   b. ☑ a été poussée dans l'eau après avoir été blessée à la tête.
   c. ☐ s'est blessée à la tête en tombant dans la Seine.

2. Le commissaire arrive rue des Acacias
   a. ☐ à dix heures et quart.
   b. ☑ juste après dix heures et quart.
   c. ☐ peu avant dix heures.

3. Quand Sorel arrive chez les de Hautefeuille
   a. ☐ toute la famille est sortie depuis une heure.
   b. ☑ toute la famille est partie et rentrera le soir.
   c. ☐ toute la famille est sortie et rentrera vers une heure.

4. La cuisinière est
   a. ☐ une femme jeune et charmante.
   b. ☐ une femme peu intéressante.
   c. ☑ une femme blonde et plutôt grosse.

5. Bertrand de Hautefeuille
   a. ☐ a écrit une lettre avant de sortir.
   b. ☑ a reçu un coup de téléphone avant de sortir.
   c. ☐ n'a pas pu répondre au téléphone car il était déjà sorti.

6. Chez son frère, Bertrand de Hautefeuille
   a. ☐ recevait des coups de téléphone d'une femme.
   b. ☐ recevait des coups de téléphone de femmes.
   c. ☐ recevait parfois des lettres.

7. Le matin où le frère du comte a été assassiné
   a. ☐ tout le monde était à la maison.
   b. ☐ personne n'était à la maison, sauf les domestiques.
   c. ☐ seuls Norbert de Hautefeuille, sa fille et la cuisinière n'étaient pas sortis.

8. Mademoiselle Arnaud n'était pas au bureau car

   a. ☐ elle était allée voir sa sœur.

   b. ☐ elle était malade.

   c. ☑ elle avait pris une demi-journée de congé.

17 **2** **Écoutez attentivement l'enregistrement et reconstruisez fidèlement la conversation entre Sorel et Verdun.**

— Alors, commissaire, vous avez pu interroger les de Hautefeuille ?

....

— Non, mais je n'ai pas perdu de temps. J'ai eu une conversation fort

....

intelligente avec la secrétaire.

....

— Cette charmante personne m'a parlé d'un coup de téléphone que

....

Norbert a reçu avant de sortir. À dix heures. Le livreur venait de

....

sonner. C'était la voix d'un homme qu'elle n'a pas revu.

....

— Elle ne sait pas de quoi ils ont parlé ?

....

— Non, le comte ne parlait pas beaucoup, mais il n'avait pas l'air

....

content.

....

— Commissaire, vous croyez que ce coup de téléphone ait un rapport

....

avec la mort d'Hélène de Hautefeuille ?

....

— Je n'en sais rien, Verdun. Et vous, qu'en dites-vous ?

....

À vous les **indices** !

1 Trouvez les solutions et découvrez la personne qui inspire peu de confiance à la cuisinière.

1. Tout le monde rentrera à son heure.
2. Bertrand de Hautefeuille en a reçu un avant de sortir (3 mots).
3. Il est allé voir sa sœur à Cochin.
4. Le comte Bertrand en est un véritable.
5. Celle du majordome est hospitalisée à Cochin.
6. La cuisinière l'est.
7. Mademoiselle Arnaud l'est.
8. Mademoiselle Arnaud avait pris une demi-journée.

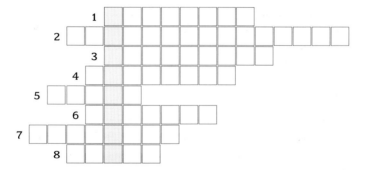

À la découverte **de Paris**

Montmartre

Ce quartier, dont le nom a une origine incertaine (*Mons Martyrum* soit *mont des martyrs* ou *Mons Martis* soit *mont de Mars*), était une commune de l'ancienne banlieue de Paris, avant de devenir le XVIIIe arrondissement. Le quartier présente des aspects différents. À côté de boulevards anonymes, il y a en effet des ruelles escarpées très pittoresques et des escaliers abrupts qui témoignent de l'époque où le quartier était un ancien village de campagne. Beaucoup d'artistes ont fait de Montmartre leur résidence, entre autres le compositeur Berlioz et le poète Gérard de Nerval. La butte de Montmartre domine le paysage avec au sommet la basilique du Sacré-Cœur, qui date de 1876.

De la terrasse et du dôme de la basilique, on peut admirer le panorama de Paris et de sa région. Non loin du Sacré-Cœur, les touristes ne manquent pas de s'arrêter place du Tertre, où la présence de nombreux peintres donne à ce coin de Paris une atmosphère bohème.

1 Qu'était Montmartre avant de devenir le XVIIIe arrondissement ?

2 En quoi consiste l'aspect contrasté de Montmartre ?

3 Quels sont les lieux de la Butte les plus prisés des touristes ?

CHAPITRE **9**

Un autre personnage disparaît

e commissaire apprend beaucoup de choses intéressantes d'Odette, qui se laisse aller à d'autres confidences.

— Comment s'entendaient les membres de la famille ?

— Eh bien ! Monsieur le commissaire, je sais que cela ne me regarde pas, mais il y a une chose que j'aurais peut-être dû dire avant à la police... Vous savez, il y a quelques semaines, j'ai demandé un jour de congé, mais je suis rentrée une heure plus tôt que prévu. Monsieur Philippe était dans le salon avec Madame. Ils pensaient être seuls et ils se disputaient. Madame criait, j'ai entendu qu'elle voulait le mettre dehors, qu'elle disait qu'elle savait des choses... et lui répondait qu'elle avait intérêt à se taire... si elle ne voulait pas qu'il lui arrive un mauvais coup...

Un autre personnage disparaît

J'avoue que j'ai eu peur, mais par la suite tout semblait être redevenu calme. Ce que je peux ajouter c'est que Monsieur Philippe, le jour où il a prétendu aller à Montmartre, a déjeuné au Carrousel avec quelqu'un. Il a laissé traîner [1] l'addition dans l'entrée.

— Alors, il y a eu une dispute très violente entre la comtesse et son gendre... c'est intéressant. Et dites-moi, elle détestait aussi son beau-frère ?

— Non, je ne crois pas. Monsieur Bertrand était le bienvenu ici. D'ailleurs, il logeait toujours chez son frère quand il venait à Paris, sans aller à l'hôtel.

— Pouvez-vous prévenir Mademoiselle Arnaud que je désire lui parler ?

— Elle n'est pas venue ce matin. Elle a téléphoné pour prévenir qu'elle ne se sent pas bien. Ça se comprend, après le malaise qu'elle a eu hier...

— Bon, au revoir, Mademoiselle Odette. Au fait, est-ce que vous êtes gauchère ?

— Non, je suis droitière !

Au commissariat, Verdun attend Sorel avec impatience.

— Commissaire, j'ai découvert des choses intéressantes sur Mademoiselle Arnaud. Il y a cinq ans elle a épousé un certain Mallet dont on a perdu les traces. On a trouvé la trace de leur certificat de mariage à la mairie de Bordeaux...

— Bordeaux ? Tiens, c'est intéressant ça. Et Mademoiselle Arnaud serait en réalité Madame Mallet ? Pourquoi Mademoiselle

---

1. **laisser traîner** : laisser n'importe où, oublier.

Du lait au fiel

Arnaud ne nous a rien dit ? Décidément, Mademoiselle Arnaud a beaucoup de choses à nous raconter encore ! Allons lui rendre une petite visite, chez elle !

Quand ils arrivent chez Mademoiselle Arnaud, il n'y a personne. La concierge leur apprend qu'elle l'a vue sortir vers neuf heures avec une valise et un panier à chat et prendre un taxi.

Si la secrétaire n'a pas mis le poison dans le lait, comme le croit le commissaire Sorel, pourquoi alors s'est-elle enfuie ? De quoi a-t-elle peur ?

En rentrant au commissariat, Sorel et Verdun sont inquiets.

Berthier vient à leur rencontre en criant :

— Commissaire, l'écriture de la jeune femme qui rencontrait Bertrand de Hautefeuille, au *Franc Pinot*, est celle de Mademoiselle Arnaud ! Quant aux lettres anonymes, c'est le majordome qui les a écrites. L'expert est formel ! Et ce n'est pas fini ! Un témoin jure qu'il a vu le majordome vers onze heures trente dans le quartier de l'île Saint-Louis.

— Envoyez quelqu'un chercher le majordome rue des Acacias ! dit Sorel en rentrant dans son bureau, quand un agent annonce qu'une dame est dans le couloir et désire lui parler.

Compréhension **orale**

DELF **1** Écoutez attentivement l'enregistrement du chapitre et cochez les bonnes réponses.

1. Quelques jours avant la mort de la comtesse,
   - **a.** ☐ la cuisinière est rentrée en retard.
   - **b.** ☐ la cuisinière est rentrée en avance.
   - **c.** ☐ la cuisinière est restée seule à la maison.

2. Odette a surpris
   - **a.** ☐ la comtesse et son gendre qui se disputaient violemment.
   - **b.** ☐ la comtesse et son beau-frère qui s'embrassaient.
   - **c.** ☐ la comtesse et son mari qui se disputaient avec un inconnu.

3. Odette avoue que cette scène
   - **a.** ☐ l'a étonnée.
   - **b.** ☐ l'a fait rire.
   - **c.** ☐ lui a fait peur.

4. Verdun vient de découvrir
   - **a.** ☐ que Mallet a été retrouvé par la police.
   - **b.** ☐ que la secrétaire a épousé un certain Mallet.
   - **c.** ☐ que la secrétaire est partie pour Bordeaux.

5. Sorel pense que
   - **a.** ☐ Mademoiselle Arnaud est coupable car presque tous les indices le font penser.
   - **b.** ☐ Mademoiselle Arnaud est innocente malgré tous les indices qui font penser au contraire.
   - **c.** ☐ Mademoiselle Arnaud a encore beaucoup de choses à confesser.

6. Quand Sorel et Verdun arrivent chez Mademoiselle Arnaud,
   - **a.** ☐ la secrétaire est au lit car elle est malade.
   - **b.** ☐ la concierge leur dit qu'elle vient de rentrer.
   - **c.** ☐ la concierge informe le commissaire qu'elle est partie en toute hâte.

7. Après ses recherches, Berthier a enfin trouvé que la femme mystérieuse qui a signé le reçu de la carte de crédit est

a. ☐ la cuisinière.

b. ☐ la secrétaire.

c. ☐ la comtesse.

8. Les lettres anonymes ont été écrites par

a. ☐ le majordome.

b. ☐ Philippe du Moulin.

c. ☐ le comte lui-même.

2 Écoutez attentivement l'enregistrement et reconstruisez fidèlement la conversation entre le commissaire et la concierge.

— Mademoiselle Arnaud ?

....

— Quatrième étage, mais je vous préviens, elle n'est pas là.

....

— Vous savez où elle est ?

....

— Ah, ça, je ne l'ai pas questionnée, je ne m'occupe pas des affaires

....

des locataires, moi. Je ne dis rien et je ne sais rien.

....

— Dommage, je croyais qu'une concierge efficace, ça a un bon sens

....

de l'observation.

....

— Ça oui, mais ce n'est pas moi qui vous dirai qu'elle est partie à neuf

....

heures ! Elle avait drôlement l'air pressée, la demoiselle !

....

— Elle allait peut-être travailler ?

....

— Ça, je n'en sais rien, ça ne me concerne pas, mais on ne va pas au

....

bureau avec une valise !

....

— Une valise ?

....

— Ce n'est pas mes oignons. D'ailleurs elle est très secrète, elle ne

....

parle à personne, juste bonjour, bonsoir.

....

— Naturellement vous ne savez pas où elle allait ?

....

— Elle a appelé un taxi et crié au conducteur une destination, c'était

....

une gare mais je ne sais plus rien et ce n'est pas mes affaires...

....

Compréhension **écrite**

DELF **1** Remplissez la véritable carte d'identité de Mademoiselle Arnaud.

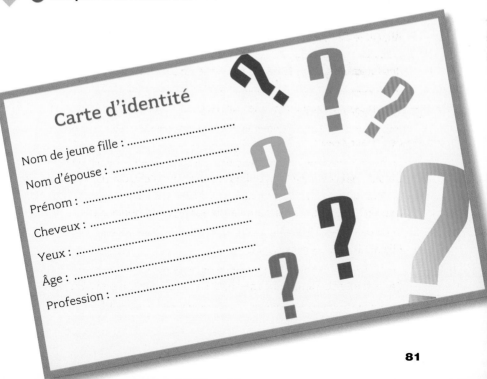

Carte d'identité

Nom de jeune fille : ....

Nom d'épouse : ....

Prénom : ....

Cheveux : ....

Yeux : ....

Âge : ....

Profession : ....

Grammaire

1 Mademoiselle Odette raconte qu'elle a assisté à une dispute entre la comtesse et son gendre. Transformez son récit au discours direct et ajoutez des éléments à votre choix.

À vous les **indices** !

1 Trouvez les solutions et découvrez le mobile du crime.

1. Celle avec la cuisinière a été édifiante.
2. Concerner.
3. Certains ont vu le majordome près de l'île Saint-Louis.
4. Ils sont allés chercher le majordome rue des Acacias.
5. La police a retrouvé celui de mariage.
6. Odette ne l'est pas.
7. L'écriture des lettres anonymes l'a été.
8. Elle a vu Mademoiselle Arnaud partir en toute hâte.
9. Il est formel sur l'auteur des lettres anonymes.

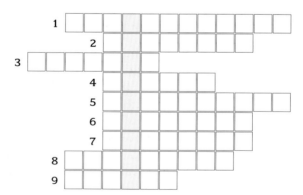

À la découverte **de Paris**

Le Quartier latin

Ce quartier s'étend sur la rive gauche de la Seine, sur les Ve et VIe arrondissements, de part et d'autre du boulevard Saint-Michel, appelé familièrement le Boul' Mich'. C'est, avec la Cité, la partie la plus ancienne de la capitale, qui comprend la montagne Sainte-Geneviève (Sainte-Geneviève est la patronne de Paris), la rue Mouffetard au sud, le Jardin des Plantes à l'est, les quartiers Saint-Séverin et Maubert au nord.

Appelé « latin » parce que la langue officielle de l'enseignement fut le latin jusqu'en 1789, ce quartier est depuis sept siècles celui de l'Université de la Sorbonne, des grandes écoles napoléoniennes et des lycées prestigieux comme Louis-le-Grand, Henri IV et Saint-Louis.

L'activité culturelle de ce quartier est intense non seulement à cause des nombreuses maisons d'édition et des librairies, mais aussi grâce aux terrasses de célèbres cafés (*Flore*, *Deux-Magots*) devenus des centres

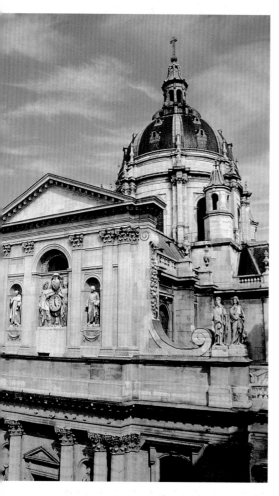

privilégiés pour l'échange d'idées ainsi que de véritables lieux de rendez-vous littéraires.

La Sorbonne, la plus célèbre université de France, doit son nom au collège de théologie fondé en 1253 par Robert de Sorbon pour seize étudiants pauvres. C'est ici que Louis XI fit installer la première imprimerie de France en 1469.

Reconstruits par Richelieu de 1624 à 1642, ses bâtiments furent encore agrandis à la fin du XIXe siècle et sont aujourd'hui le siège des universités de Paris III et Paris IV.

1 Où se trouve le Quartier latin ?

2 Qu'est-ce qui le caractérise ?

3 Que savons-nous de certains cafés ?

4 Quand fut fondée la Sorbonne ?

5 De quelles universités est-elle le siège aujourd'hui ?

CHAPITRE **10**

Le passé revient

onsieur le commissaire, il faut que je vous parle !...

— Oui, je le crois aussi. Je suis content de vous revoir, et en bonne santé ! Mademoiselle Arnaud ! Ou bien est-ce que je dois vous appeler Madame Mallet ?

— Arnaud c'est mon nom de jeune fille, je préfère Arnaud, Monsieur le commissaire. Je voulais tout vous dire, mais j'ai eu peur de mon mari.

— Pouvez-vous me dire enfin tout ce que vous savez sur cette histoire ? Pourquoi avez-vous quitté précipitamment votre appartement ?

— Parce que j'ai peur. J'ai voulu m'enfuir et puis, dans le taxi, j'ai réfléchi et je suis venue tout vous dire...

— Qui est votre mari ? Et pourquoi vous faites-vous appeler Mademoiselle Arnaud ?

Du lait au fiel

— Quand je me suis présentée chez les de Hautefeuille, il y a trois ans, ils cherchaient une secrétaire célibataire. J'ai menti pour avoir cet emploi. Mon mari pensait que c'était mieux comme ça... Lui aussi s'était présenté, mais sous le nom de sa mère, pour d'autres raisons...

La femme hésite un instant avant de continuer :

— Je me suis mariée il y a cinq ans. Mon mari a trouvé un emploi chez les de Hautefeuille. Ça faisait des années qu'il attendait ça... s'introduire dans cette famille pour se venger. Vous savez, il y a une trentaine d'années, son père s'est suicidé car la comtesse, qui habitait encore dans le Bordelais, dans le château de famille, l'avait accusé injustement de vol. Mon mari avait quatre ans. Son père était chauffeur chez les de la Vigne depuis plus de vingt ans...

Mon mari détestait la comtesse, qu'il considérait responsable de la mort de son père. Il n'avait qu'une idée, c'était de le venger. D'abord, il s'est mis à écrire des lettres anonymes au comte, pour jeter le trouble, la suspicion dans cette famille. Et puis un jour, il a découvert une lettre de moi à moitié brûlée dans la cheminée, mes sentiments pour Bertrand et mon intention de le quitter. Pour se venger, il a voulu faire croire que c'était moi l'assassin de la comtesse.

Ensuite, il a dû envoyer un message à Bertrand en faisant croire que c'était moi qui lui donnais rendez-vous. Bertrand m'avait demandé de partir avec lui. Il ne savait pas que j'étais mariée. Comment lui expliquer qu'Yves était mon mari et qu'il s'était introduit dans la demeure de son frère sous une fausse identité ? Comment prévenir les comtes, sans sembler une complice ? Je rencontrais Bertrand dans un petit restaurant de

Le passé revient

l'île Saint-Louis. C'est Yves qui a tué Bertrand, j'en suis sûre !

À la fin de cette longue confession, Mademoiselle Arnaud se met à pleurer. Elle est encore en larmes quand un agent ouvre la porte et entre dans le bureau, avec Yves. Le majordome est d'abord surpris de voir sa femme, puis il comprend qu'elle a tout raconté à la police. Son regard est froid.

Sorel a trouvé enfin la réponse à toutes les questions qu'il s'était posées quelques jours auparavant, quand une vieille dame un peu bizarre était venue porter plainte[1] pour la mort brutale de son chat.

— Allô, Madame Morin ? C'est le commissaire Sorel, à l'appareil !... Je voulais vous remercier, car votre témoignage a été essentiel... Oui, bien sûr, nous avons trouvé le coupable, je ne peux pas, pour le moment vous en dire plus, mais croyez-moi, votre témoignage a été décisif !

---

1. **porter plainte** : dénoncer un fait, à la police, contre quelqu'un.

Compréhension **orale**

DELF **1** Écoutez attentivement l'enregistrement du chapitre et cochez les bonnes réponses.

1. Mademoiselle Arnaud
   a. ☑ ne veut pas que le commissaire l'appelle Madame Mallet.
   b. ☐ préfère que le commissaire l'appelle Madame Mallet.
   c. ☐ dit au commissaire de l'appeler comme il veut.

2. Monsieur et Madame de Hautefeuille
   a. ☐ savaient que la secrétaire était mariée.
   b. ☑ pensaient que la secrétaire était célibataire. → single
   c. ☐ croyaient que la secrétaire était veuve.

3. Le mari de la secrétaire
   a. ☑ travaille lui aussi chez les de Hautefeuille.
   b. ☐ a travaillé lui aussi chez les de Hautefeuille.
   c. ☐ ne voulait pas que sa femme travaille chez les de Hautefeuille.

4. La secrétaire savait que son mari
   a. ☐ voulait oublier un épisode douloureux du passé.
   b. ☑ voulait de quelque façon venger la mort de son père.
   c. ☐ voulait s'installer au Canada.

5. La secrétaire rencontrait en cachette Bertrand de Hautefeuille
   a. ☐ parce qu'ils n'étaient pas du même milieu.
   b. ☐ parce qu'elle ne voulait pas que son mari apprenne leur liaison.
   c. ☐ parce qu'elle était très jalouse de sa vie privée.

6. Le mari de la secrétaire a compris que sa femme le trompait car
   a. ☐ elle sortait très souvent le soir.
   b. ☐ elle recevait de nombreux appels téléphoniques.
   c. ☑ il avait trouvé un message dans la cheminée.

7. À la fin de l'histoire, la police
   a. ☑ arrête le coupable.
   b. ☐ est sur les traces du coupable.
   c. ☐ ne sait pas encore qui est le vrai coupable.

21 **2** Écoutez attentivement l'enregistrement et reconstruisez fidèlement la conversation téléphonique entre le commissaire Sorel et Madame Morin.

— Allô, Madame Morin. C'est le commissaire Sorel à l'appareil !

....

Vous vous rappelez ?

....

— Bien sûr, Monsieur le commissaire. Vous avez trouvé quelque

....

chose sur la mort de Pyrrhus ?

....

— Oui, c'est justement pour cela que je vous appelle. Je voulais vous

....

remercier, car votre témoignage a été décisif.

....

— Vous savez qui est le responsable ?

....

— Oui, bien sûr, nous avons trouvé le coupable mais je ne peux pas

....

vous en dire plus pour l'instant.

....

— Monsieur le commissaire, il faut que je vous fasse une révélation...

....

— J'ai un nouveau matou. Vous comprenez, c'est mon gendre qui me

....

l'a donné, mais je ne le laisserai pas sortir, celui-là !

....

— Ne vous inquiétez pas, votre chat ne court aucun danger, vous

....

pourrez le laisser dormir dans la cour.

....

Enrichissez votre **vocabulaire**

1 Écrivez les substantifs dérivant de ces verbes.

1. venger   ....
2. chercher   ....
3. mentir   ....
4. habiter   ....

Production **écrite**

DELF **1** Écrivez ce que raconte un(e) journaliste à propos de la vie d'une personne célèbre de votre choix.

▶▶▶ PROJET **INTERNET** ◀◀◀

Un voyage à Paris

Vous devez organiser un voyage à Paris. À l'aide d'un moteur de recherche, connectez-vous au site de l'office de tourisme de Paris.

■ Hôtels et hébergements
  – Cherchez un hôtel en fonction de la catégorie (1, 2, 3, 4 étoiles) et du quartier où vous souhaitez séjourner.
  – Que propose-t-on pour les familles ?

■ Musées et monuments
  – Choisissez en fonction de vos goûts quelques musées et monuments à visiter.
  – Comment s'y rend-on ?
  – Quels sont les horaires d'ouverture ?
  – Quel est le prix du billet ? Y a-t-il des réductions spéciales ?

■ Excursions et balades
  – Quels types d'excursions sont proposés ?
  – Quels sont les itinéraires proposés pour 1, 2, 3 jours à Paris ?

À la découverte **de Paris**

L'île Saint-Louis

Avec ses quais tranquilles et son architecture classique, l'île Saint-Louis est un des sites les plus intéressants de Paris.

Cette île est le résultat de l'union de deux îlots, l'île aux Vaches et l'île Notre-Dame, où, au Moyen Âge, les duels avaient lieu. Sous le règne de Louis XIII, les deux îlots furent unis et l'on construisit deux ponts en pierre pour relier l'île au reste de la ville.

91

Les travaux d'aménagement commencèrent en 1627 et se terminèrent en 1664.

La plupart des bâtiments présentent une architecture classique et datent du XVIIe siècle. L'Hôtel de Lauzon, sur le Quai d'Anjou, est célèbre car y habitèrent Théophile Gautier, Baudelaire, Rilke et Wagner.

Le Quai d'Orléans, en face de l'île de la Cité, offre une des plus belles vues embrassant la cathédrale Notre-Dame et la rive gauche.

L'atmosphère de cette île, calme et provinciale, est très particulière au centre de la ville.

1 Dites si les affirmations sont vraies ou fausses.

	V	F
1. L'île Saint-Louis a été aménagée au XVIe siècle.	☐	☐
2. Une grande partie des bâtiments remonte au XVIIe siècle.	☐	☐
3. Beaucoup de personnages célèbres ont habité sur cette île.	☐	☐
4. Du quai d'Orléans, on peut admirer Notre-Dame et la rive droite de la Seine.	☐	☐

1 Regardez ces photos se référant à quelques monuments parisiens.
Écrivez le nom des monuments.

1. ....

2. ....

3. ....

4. ....

5. ....

6. ....

2 **Balade parisienne**

L'histoire est terminée, vous en savez assez sur Paris pour faire ce test.

1. Paris comprend ☐ 17 ☐ 20 ☐ 30 arrondissements.

2. Les arrondissements sont numérotés dans un ordre qui rappelle la forme d'un ☐ losange ☐ serpent ☐ escargot.

3. La Place de l'Étoile est le centre de ☐ 10 ☐ 12 ☐ 14 avenues.

4. La construction de l'Arc de triomphe fut commandée par ☐ Richelieu ☐ Napoléon Ier ☐ Napoléon III.

5. La cathédrale Notre-Dame est un exemple d'art ☐ roman ☐ gothique ☐ classique.

6. La Sainte Chapelle est célèbre pour ses ☐ vitraux ☐ statues ☐ fresques.

7. Depuis 1989, la perspective des Champs-Élysées va de la Pyramide du Louvre à ☐ la place de la Concorde ☐ l'Arc de triomphe ☐ la Grande Arche de la Défense.

8. Le palais de l'Élysée est la résidence du président ☐ de la République ☐ du Sénat ☐ de l'Assemblée nationale.

9. La rue Saint-Antoine se trouve ☐ sur la butte Montmartre ☐ dans le Marais ☐ dans le Quartier latin.

10. L'Hôtel Carnavalet abrite ☐ le musée Picasso ☐ le musée d'Orsay ☐ le musée de la ville de Paris.

11. Le palais du Louvre a été construit au ☐ Moyen Âge ☐ XVIIe siècle ☐ cours de plusieurs siècles.

12. Le Louvre se trouve ☐ sur la rive droite ☐ sur la rive gauche ☐ dans l'île de la Cité.

13. L'hippodrome de Longchamp est situé ☐ à Auteuil ☐ dans le Bois de Boulogne ☐ à Vincennes.